Het Internationale Rode Kruis

Ralf Perkins

Corona

© 2001 Franklin Watts, Londen, Engeland
Oorspronkelijke titel International Red Cross
© 2002 *Nederlands Taalgebied* Ars Scribendi BV,
Harmelen, NL

Productie De Laude Scriptorum BV, Harmelen, NL
Vertaling Karin Beneken Kolmer
Zetwerk Intertext, Antwerpen, België

ISBN 90-5495-588-0

Voor vragen over de uitgaven van Ars Scribendi BV
kunt u zich wenden tot de uitgever: Postbus 65,
3480 DB Harmelen, of onze website raadplegen:
www.arsscribendi.com. De uitgever houdt zich niet
verantwoordelijk voor fouten of misvattingen.

Illustratieverantwoording:
Omslag: Topham Picturepoint/Associated Press
(links); Panos Pictures/Zed Nelson (rechtsboven);
British Red Cross Society (linksonder).
Binnenwerk: AKG Londen pag. 4 boven, 4 onder;
British Red Cross Society pag. 1, 9, 11, 21 links,
12 rechts, 23 boven, 25, 27 boven; Corbis pag. 5
(Bill Gentile), 7 boven (Reuters New Media
Inc.), 8 boven (Joseph Sohm/ChromoSohm
Inc.), 24 (Liba Taylor), 26 (Liba Taylor);
International Committee of the Red Cross
pag. 15 (Thierry Gassmann), 19 onder (Boris
Heger), 28 boven (Till Mayer); International
Federation of Red Cross and Red Crescent
Societies pag. 3, 7 onder, 10 onder, 27 onder
(Lars Schwetije), 28 onder; Magnum Photos
pag. 29 onder (David Hurn); Popperfoto pag.
13 boven, 14 boven; Popperfoto/Reuters pag.
1 rechts (Rafiqur Rahman), 2 boven (Sergei
Teterin), 2-3 (Yves Herman), 6 (Sergei Teterin),
8 onder (Mona Sharaf), 10 boven (Yves
Herman), 13 onder (Yuri Tutor), 14-15, 16, 17
links (Damir Sagoli), 17 rechts (El Tiempo), 18, 19
boven (Chor Sokunthea), 20 links (Christian
Charisius), 20 rechts (Rafiqur Rahman), 21 (Henry
Romero), 22 (Michael Dalder), 29 boven (Philippe
Wojazer).

STICHTING NEDERLANDSE
KINDERJURY
2002

Inhoud

De oprichting van het Rode Kruis   **4**

Een wereldwijde beweging   **9**

Het Rode Kruis en oorlog   **13**

Hulp bij rampen   **20**

Zorg voor de gemeenschap   **25**

Verklarende woordenlijst   **30**

Nuttige adressen   **31**

Register   **32**

▲ *De emblemen van de Internationale*
Rode Kruis- en Rode Halvemaanbeweging.

De oprichting van het Rode Kruis

Het Rode Kruis helpt mensen in noodsituaties, die veroorzaakt kunnen zijn door oorlogen, rampen of ongelukken of door dagelijkse problemen zoals een slechte gezondheid. De Beweging (zoals het Rode Kruis vaak wordt genoemd) is een van de oudste en grootste onafhankelijke humanitaire organisaties ter wereld.

◀ *Henry Dunant, de oprichter van het Rode Kruis.*

▶ *Een vrijwilliger van het Rode Kruis helpt gewonden in het door oorlog verscheurde Parijs in 1870.*

De slag bij Solferino

De basis voor het Rode Kruis werd bijna 150 jaar geleden gelegd, toen een man de wereld confronteerde met de wreedheid van de oorlog.

Op 24 juni 1859 wonnen de Franse en Italiaanse legers een gewelddadige veldslag tegen de Oostenrijkers bij Solferino in Noord-Italië. Tegen het vallen van de avond waren de legers vertrokken, maar bleven meer dan 40.000 dode en gewonde soldaten achter.

Henry Dunant, een jonge Zwitserse zakenman, was geschokt door het vreselijke lijden van de soldaten. Hij vroeg enkele vrouwen uit de buurt en reizigers die langskwamen om hem te helpen bij het verzorgen van de gewonden, het troosten van de stervenden en het begraven van de doden. De helpers waren afkomstig uit verschillende landen, maar ze werkten allemaal samen. Later zei Dunant trots dat ze 'tutti fratelli' – allemaal broeders – waren geweest.

Probleem

Wie moet je helpen?

Wie help je en wie behandel je het eerst als er veel gewonden zijn? Bij Solferino hielp Dunant gewonde soldaten van beide partijen. Hij vond dat iedereen die hulp nodig had geholpen moest worden, maar dat mensen in de grootste nood het eerst behandeld moesten worden. Dit idee van onpartijdigheid is sindsdien een grondbeginsel van het Rode Kruis. Het Rode Kruis helpt mensen die hulp nodig hebben, ongeacht hun nationaliteit, ras, religie of politieke overtuigingen.

▼ *Een medewerker van het Rode Kruis zwaait met de vlag van het Rode Kruis tijdens gevechten in de burgeroorlog in El Salvador in 1989. De beschermende vlag laat zien dat hij neutraal en onpartijdig is en niet betrokken is in het conflict.*

Permanente nationale hulporganisaties

In 1862 publiceerde Dunant *Een herinnering aan Solferino*, waarin hij de verschrikkingen van de oorlog beschreef. In dit boek pleitte hij voor permanente hulporganisaties in alle landen, die in vredestijd vrijwilligers zouden opleiden en uitrusten om in oorlogstijd gewonde soldaten te verzorgen. Deze vrijwilligers zouden verbonden worden aan het leger van hun land, en elke soldaat die behoefte had aan medische zorg of troost helpen.

Verscheidene Zwitserse welgestelde mannen stemden in met Dunants humanitaire doelen. Tijdens een bijeenkomst in Genève op 17 februari 1863 vormden Dunant en vier anderen het Comité voor hulpverlening aan gewonde militairen, dat later het Internationale Comité van het Rode Kruis (ICRC, International Committee of the Red Cross) werd.

De Verdragen van Genève

Het idee van het Rode Kruis werd al snel gesteund door andere Europese landen, zoals België, Denemarken en Portugal. In 1864 stelden afgevaardigden uit 12 landen een aantal regels op over het omgaan met gewonde soldaten en medische hulpverleners in oorlogstijd. Dit was het oorspronkelijke Verdrag van Genève.

Nog niet eerder was geprobeerd om algemene internationale wetten op te stellen voor gewapende conflicten of oorlogen, die we nu humanitaire wetten noemen. Sinds 1864 is het Verdrag van Genève verscheidene keren gewijzigd om verschillende soorten oorlogsslachtoffers te kunnen beschermen. Nu zijn er vier Verdragen van Genève en deze zijn ondertekend door de regeringen van 189 landen. Als regeringsfunctionarissen of legeraanvoerders de wetten overtreden, kunnen ze vervolgd worden wegens oorlogsmisdaden.

Checklist

Humanitaire wetten

De vier Verdragen van Genève hebben als doel het beschermen van gewonde en zieke leden van de gewapende strijdkrachten op het land en op zee, krijgsgevangenen en burgers (mensen die geen deel uitmaken van de gewapende strijdkrachten) in oorlogstijd. Dit zijn enkele van de regels:

- Het is verboden om een vijand die zich overgeeft te doden of verwonden.
- Gewonden en zieken moeten verzorgd worden door de mensen die hen gevangengenomen hebben.
- Krijgsgevangenen en gevangengenomen burgers moeten met respect behandeld worden. Ze mogen contact hebben met hun familie.
- Het is verboden om burgers of hun eigendommen moedwillig aan te vallen.

▼ Het huis van deze vrouw in Grozny (Tsjetsjenië) is verwoest tijdens een Russische bomaanval. Als deze verwoesting een moedwillige daad was, zou deze in strijd zijn met de Verdragen van Genève.

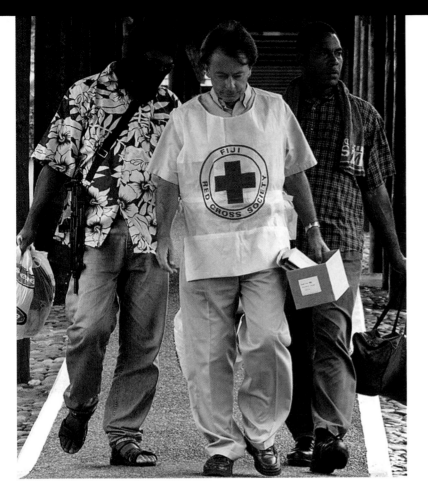

▲ *John Scott, directeur-generaal van het Fijische Rode Kruis, bezoekt de gegijzelden in het parlementsgebouw van Fiji in mei 2000. De rebellen die de gijzeling uitvoerden, werden later gearresteerd, en het ICRC bezoekt hen nu.*

● Spotlight

Neutraal zijn

Het Rode Kruis is neutraal – het kiest geen partij in een oorlog of ander conflict, en doet niet mee aan polariserende debatten zoals die over politiek of religie. Op Fiji werden in 2000 31 mensen, onder wie de premier van Fiji, gedurende acht weken gegijzeld door gewapende rebellen, die een andere regering eisen. Tijdens de crisis kwam de directeur-generaal van het Fijische Rode Kruis, John Scott, dagelijks langs bij de gegijzelden om voedsel en andere benodigdheden af te leveren en brieven uit te wisselen. De rebellen lieten hem de gegijzelden helpen omdat ze wisten dat het Rode Kruis neutraal was.

● Spotlight

De emblemen van het Rode Kruis en de Rode Halvemaan

Op de oprichtingsbijeenkomst in 1863 werd een rood kruis op een witte achtergrond gekozen als embleem voor de vrijwillige medische hulpverleners. Dit symbool (het omgekeerde van de Zwitserse vlag) is wellicht gekozen als eerbetoon aan Zwitserland. Maar het kruis wordt ook als christelijk symbool beschouwd en in 1876, tijdens gevechten tussen islamitische Turken en Russische christenen, droegen medewerkers van het Turkse Rode Kruis een rode halvemaan in plaats van een kruis. Later hebben regeringen het symbool erkend, en de twee emblemen worden nu wereldwijd gebruikt als symbolen van neutrale en onpartijdige zorg; geen van beide heeft een religieuze of nationale betekenis.

▲ *De vlaggen van het Rode Kruis en de Rode Halvemaan wapperen naast elkaar. Het zijn speciale symbolen die wettelijk beschermd zijn.*

Het Rode Kruis groeit

De totstandkoming van het eerste Verdrag van Genève leidde tot steun vanuit de hele wereld. Binnen 10 jaar werden in Europa 22 nationale Rode Kruiscomités (later verenigingen) opgericht, waaronder het Nederlandse Rode Kruis in 1867, het Britse in 1870 en het Deense in 1876. Het Amerikaanse Rode Kruis werd in 1881 opgericht. Nu zijn er wereldwijd 176 erkende nationale verenigingen.

Al deze verenigingen werden opgericht om hulp te verlenen aan zieken en gewonden in oorlogstijd. Maar het werd al snel duidelijk dat de verenigingen ook bij andere gelegenheden ingezet konden worden – bij rampen, zoals overstromingen en hongersnood, of bij het opleiden van mensen in het omgaan met noodsituaties.

Spotlight

Hulpverlening bij rampen

In september 1881 woedde een bosbrand in de staat Michigan, waarbij honderden mensen omkwamen en duizenden dakloos werden. Clare Barton, de oprichtster van het Amerikaanse Rode Kruis, nam bouwgereedschap, kleren en geld mee om de slachtoffers van de brand te helpen. In 1882-1883 hielp ze de slachtoffers van een overstroming in Mississippi en in 1891 stuurde ze voedsel op naar honger lijdende boeren in Rusland.

▶ *Een vrachtauto van het Amerikaanse Rode Kruis staat klaar om slachtoffers van overstromingen, branden of stormen te helpen.*

▼ *Een reddingswerker van het Duitse Rode Kruis zoekt naar overlevenden onder een ingestort gebouw in Caïro in 1996.*

Een wereldwijde beweging

Tegenwoordig is het Rode Kruis een reusachtige internationale beweging, met meer dan 127 miljoen leden in 176 landen. Alle onderdelen van deze beweging zijn onafhankelijk van elkaar, maar ze worden verenigd door gemeenschappelijke doelen en idealen.

Het Internationale Comité van het Rode Kruis

Het Internationale Comité van het Rode Kruis (ICRC) is het oorspronkelijke deel van de organisatie. Het hoofdkantoor staat nog steeds in Genève, maar er werken afgevaardigden vanuit de hele wereld. Het Internationale Comité houdt zich vooral bezig met de bescherming van mensen, inclusief burgers en krijgsgevangenen, tijdens gewapende conflicten, en het werkt met de nationale verenigingen samen om zijn doel te bereiken. Het ICRC heeft een rol gespeeld bij het opstellen en wijzigen van de Verdragen van Genève en geeft bekendheid aan het humanitair recht.

▲ Het hoofdkantoor van het ICRC in Genève. De Franse naam is Comité International de la Croix-Rouge.

✓ Checklist

De verschillende onderdelen van de Rode Kruis- en Rode Halvemaanbeweging zijn:
- Het Internationale Comité van het Rode Kruis (ICRC)
- De Internationale Federatie van Rode Kruis- en Rode Halvemaanverenigingen
- 176 nationale Rode Kruis- en Rode Halvemaanverenigingen

De nationale verenigingen

Er zijn 176 erkende nationale verenigingen, zoals het Japanse Rode Kruis en de Iraanse Rode Halvemaan. Om lid te kunnen worden van de Rode Kruisbeweging moet een vereniging voldoen aan bepaalde criteria. Zo moet een vereniging wettelijk erkend zijn door haar land als een onafhankelijke, vrijwillige hulporganisatie, die steun verleent aan de overheid van dat land. Dit maakt het de verenigingen mogelijk om de medische diensten van het leger in oorlogstijd en de medische diensten en hulpdiensten voor burgers te allen tijde te steunen. Maar het betekent ook dat een vereniging hulp kan bieden aan allen die hulp nodig hebben, ongeacht hun nationaliteit.

▲ *Vrijwilligers van het Rode Kruis helpen een toeschouwer die gewond is geraakt toen een tribune instortte bij een voetbalwedstrijd in Brussel.*

Verschillende diensten

Naast noodhulp biedt elke nationale vereniging een aantal ondersteunende diensten, die van land tot land variëren. Zo beheert het Amerikaanse Rode Kruis bloedbanken, maar het Britse en Nederlandse Rode Kruis doen dit niet. Vele richten eerstehulpposten in bij sportevenementen, popconcerten en festivals. Vaak geven ze les in eerste hulp op scholen, bij verenigingen en in bedrijven. Ook voorzien ze de internationale beweging van geld en deskundigheid.

De Internationale Federatie

De nationale verenigingen vormen samen de Internationale Federatie van Rode Kruis- en Rode Halvemaanverenigingen. De Federatie coördineert de hulpverlening door de nationale verenigingen bij rampen en helpt de verenigingen bij het ontwikkelen van hun dienstverlening. Bovendien helpt de Federatie landen die een vereniging op willen richten.

● Spotlight

Internationale steun

Direct na de enorme aardbeving in Turkije, waardoor meer dan 300.000 mensen dakloos werden, stuurde de Internationale Federatie van Rode Kruis- en Rode Halvemaanverenigingen een team van deskundigen afkomstig uit de nationale verenigingen naar de Turkse autoriteiten om te bepalen hoe ze zouden kunnen helpen. Tegelijkertijd riepen de nationale verenigingen mensen op om geld te geven voor deze hulp. Het Britse Rode Kruis leverde een deskundige op het gebied van logistiek en zamelde bijna 2 miljoen pond (3,2 miljoen euro) in.

▼ *Na een aardbeving in Turkije in 1999 werkte de Internationale Federatie samen met de Turkse Rode Halvemaan om hulp te verlenen.*

Samenwerken

Afgevaardigden van de nationale verenigingen, de Internationale Federatie en het Internationale Comité, komen regelmatig bijeen voor een conferentie met de regeringen van de landen die de Verdragen van Genève hebben ondertekend om te discussiëren over de grondbeginselen die de beweging verenigen en andere kwesties van algemeen humanitair belang. Deze conferenties vinden meestal eens in de vier jaar plaats. Op een conferentie in 1965 kwam de Rode Kruis- en Rode Halvemaanbeweging tot overeenstemming over de zeven grondbeginselen die zijn gebaseerd op de ideeën die aan de beweging ten grondslag lagen en die nog steeds hoog worden gehouden (zie kader).

▲ Afgevaardigden van de Internationale Rode Kruis- en Rode Halvemaanbeweging komen in 1993 bijeen in Birmingham (Engeland).

✓ Checklist

De grondbeginselen van het Rode Kruis

Menslievendheid – De beweging wil lijden van mensen voorkomen en verzachten, waar het ook voorkomt.

Onpartijdigheid – Zie pagina 5.
Neutraliteit – Zie pagina 7.
Onafhankelijkheid – De nationale verenigingen steunen hun regeringen, maar blijven onafhankelijk.

Vrijwilligheid – Zie pagina 12.
Eenheid – In ieder land kan maar één Rode Kruis- of Rode Halvemaanvereniging zijn. Deze staat open voor iedereen.

Algemeenheid – De beweging is wereldwijd en alle verenigingen hebben dezelfde status en verantwoordelijkheden.

Wie betaalt het Rode Kruis?

Het Rode Kruis heeft veel geld nodig om over de hele wereld zijn werk te doen. In 2000 gaf het Internationale Comité in Genève ongeveer een miljard Zwitserse frank (ongeveer 675 miljoen euro) uit. Dit is exclusief het geld dat de nationale verenigingen uitgeven. Al dit geld bestaat uit donaties en komt deels via de nationale verenigingen binnen. Een groot deel is afkomstig van regeringen en internationale organisaties zoals de Europese Unie. Het Rode Kruis accepteert geen donaties als het daarvoor in strijd met de grondbeginselen zou moeten handelen. Dit betekent bijvoorbeeld dat een regering die geld geeft voor hulp aan vluchtelingen niet kan eisen dat het geld alleen ten goede komt aan mensen van één nationaliteit of ras.

Persoonlijke donaties

Ook personen en bedrijven geven geld aan het Rode Kruis. Persoonlijke donaties zijn belangrijk bij rampen. Toen Armenië getroffen werd door een aardbeving of Ethiopië door hongersnood vroeg het Rode Kruis aan mensen over de hele wereld om donaties om de slachtoffers te kunnen helpen. Het deed oproepen op de televisie en in kranten.

Vrijwilligers

Mensen die voor het Rode Kruis werken, doen dit omdat ze anderen willen helpen en niet omdat ze er geld mee willen verdienen. Deze vrijwillige dienstverlening is een belangrijk principe van het Rode Kruis. De vrijwilligers stellen hun tijd gratis ter beschikking.

Spotlight

Wereld Rode Kruis- en Rode Halvemaandag

Op 8 mei, de geboortedag van Henry Dunant, wordt elk jaar de Wereld Rode Kruis- en Rode Halvemaandag gevierd. Op deze dag roept het Rode Kruis wereldwijd op om geld te geven en probeert het kranten en televisiestations over te halen om aandacht te besteden aan het werk van het Rode Kruis. Vrijwilligers zamelen geld in en mensen dragen het symbool van het Rode Kruis.

Maar alle onderdelen van het Rode Kruis hebben ook betaalde werknemers in dienst. Afgevaardigden zijn mensen die voor de internationale secties van de beweging werken, hoewel ze soms betaald worden door de nationale verenigingen. Deze afgevaardigden zijn gediplomeerde medewerkers zoals gezondheidscoördinators en ingenieurs, die naar elk deel van de wereld gestuurd kunnen worden om het menselijk leed in oorlogen en bij rampen te verzachten.

▲ De verkoop van kerstkaarten levert geld op voor sommige nationale verenigingen.

▲ Een medewerker van het Rode Kruis vraagt mensen om een donatie.

Het Rode Kruis en oorlog

De oorlogvoering is sterk veranderd sinds de tijd van Henry Dunant. De wapens zijn dodelijker en burgers lijden vaak evenveel als soldaten. In de loop van twee wereldoorlogen en vele daaropvolgende conflicten heeft het Rode Kruis zich aangepast, maar het geeft nog steeds neutrale hulp aan mensen in nood.

▲ Medewerkers van het Australische Rode Kruis bemannen een eerstehulppost voor gewonde soldaten in Nieuw-Guinea tijdens de Tweede Wereldoorlog.

✅ Checklist

Tijdens de Golfoorlog in 1990 zorgden medewerkers van het Amerikaanse Rode Kruis voor humanitaire hulp aan het Amerikaanse leger.

- Ze brachten 215.000 berichten over van en naar de troepen.
- Ze steunden en troostten de gewonden en soldaten in nood.
- Ze hielpen 4.700 gezinnen van militairen in de VS met financiële steun en andere diensten voor een bedrag van 1,72 miljoen dollar (1,9 miljoen euro).

Hulp op het slagveld

Het oorspronkelijke werk van het Rode Kruis in oorlogstijd is nog steeds belangrijk. Tijdens de Eerste Wereldoorlog zorgden de Rode Kruisverenigingen voor verpleegsters en andere medewerkers om de gewonden te behandelen. Tegenwoordig hebben de meeste legers hun eigen medische diensten, en daarom steunen de nationale verenigingen hun legers op andere manieren – bijvoorbeeld door soldaten te helpen met hun familie thuis in contact te blijven of gewonden in ziekenhuizen te bezoeken.

▲ Russische vrouwen vragen een ICRC-medewerker om hen te helpen bij het opsporen van hun mannen en zonen die aan het vechten zijn in Tsjetsjenië in 1995.

▲ *Een medewerker van het Britse Rode Kruis controleert voedselpakketten die in 1952 naar de krijgsgevangenen in Korea worden verstuurd.*

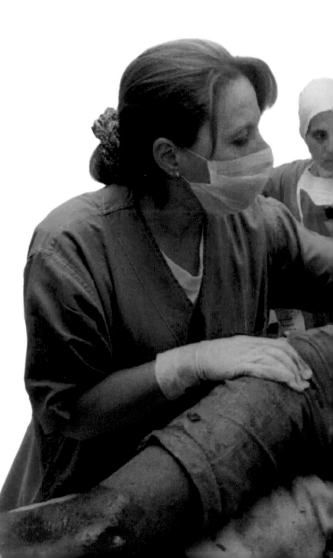

Krijgsgevangenen

Bij de meeste conflicten worden aan beide kanten soldaten en soms burgers gevangengenomen. Het Derde Verdrag van Genève erkent de rol van het ICRC als een neutrale organisatie waarvan afgevaardigden deze gevangenen moeten kunnen bezoeken. De ICRC-afgevaardigden bezoeken krijgsgevangenen en proberen hen in contact te brengen met hun familie. Ze controleren of gevangenen goed voedsel en goede medische zorg krijgen en of ze niet mishandeld worden.

▲ De Rode Kruisbeweging geeft voedsel aan burgers die tijdens de oorlog hun huizen hebben moeten verlaten.

▼ Verpleegsters van het Rode Kruis geven eerste hulp aan een man die gewond is geraakt tijdens de burgeroorlog in Rwanda in april 1995.

Burgers beschermen

Een belangrijk deel van het werk van het Rode Kruis in oorlogstijd is het helpen van burgers. Wanneer ergens gevechten uitbreken, probeert het ICRC, in samenwerking met de nationale verenigingen, de basale medische zorg en de voedsel- en watervoorziening in stand te houden om te voorkomen dat mensen van honger of door ziekte omkomen terwijl de gevechten om hen heen woeden. Het richt vluchtelingenkampen op voor mensen die uit hun huizen zijn verdreven. Het verzamelt namen en foto's van vermiste personen en probeert hen op te sporen in gevangenissen van de vijand, vluchtelingenkampen of tussen de doden.

Zo nodig kan het ICRC ervaren medische teams leveren om te helpen in plaatselijke ziekenhuizen die de vraag om hulp niet aankunnen. ICRC-chirurgen leren plaatselijke artsen hoe ze in de oorlog ontstane verwondingen moeten behandelen, zodat ze zelf verder kunnen zodra het ICRC-team is vertrokken.

Na de gevechten

Ook als de gevechten zijn gestopt, is voor vele mensen het lijden nog lang niet voorbij. Sommige oorlogsslachtoffers hebben lichamelijke problemen zoals verwondingen die door bommen zijn veroorzaakt. Sommigen hebben ook emotionele problemen. De medewerkers van het Rode Kruis helpen al deze mensen. Ze organiseren de herbouw van ziekenhuizen en scholen. Ze verstrekken zaden, meststoffen en werktuigen zodat de landbouw weer op gang kan komen. Mensen worden geholpen bij het verwerken van de afschuwelijke dingen die ze in de oorlog hebben gezien, en vermiste personen worden met hun familie herenigd.

▼ *Jonge vluchtelingen uit Rwanda in een ICRC-vrachtwagen. Door de burgeroorlog zijn ze van hun familie gescheiden geraakt.*

Spotlight

Families herenigen

Toen er bijna 50 jaar geleden een eind kwam aan de gevechten in Korea waren veel families verdeeld over Noord- en Zuid-Korea. In 2000 kwamen de twee Koreaanse regeringen overeen dat de twee nationale Rode Kruisverenigingen enkele familieherenigingen mochten organiseren. De 85-jarige Park Yoon-sung woont in Zuid-Korea. Het Rode Kruis bracht hem naar Noord-Korea voor een ontmoeting met zijn twee broers. 'Ik had dit niet kunnen dromen,' zei Park Yoon-sung. 'Ik mis mijn broers heel erg.'

De verschrikkingen van de oorlog

In tijden van oorlog kunnen mensen en regeringen verschrikkelijke dingen doen. Vaak worden de mensenrechten en humanitaire wetten genegeerd. Sommige hulporganisaties spreken zich openlijk uit tegen de waargenomen schendingen van de mensenrechten. Maar het Rode Kruis bekritiseert of veroordeelt regeringen zelden openlijk. Het is niet zo dat het Rode Kruis de schendingen van de mensenrechten en humanitaire wetten negeert, maar het uit zijn bezorgdheid niet in het openbaar. Anders kan het gebeuren dat een regering het Rode Kruis niet als neutraal ziet en medewerkers van het Rode Kruis verbiedt om de mensen die in nood verkeren te helpen.

Probleem

Hulp voor Servië

Servië vormde vanaf het begin van de jaren 90 het middelpunt van een aantal conflicten in het voormalige Joegoslavië en vocht in Kroatië, Bosnië en Kosovo. De Servische regering werd hevig bekritiseerd voor haar optreden in deze oorlogen. Desondanks bleef het ICRC het Joegoslavische (dat wil zeggen het Servische) Rode Kruis steunen bij zijn humanitaire hulp voor Servische burgers en vluchtelingen. Sommige andere hulporganisaties weigerden deze hulp vanwege de schendingen van de mensenrechten door Servië.

▲ In 1999 werden vluchtelingen uit Kosovo, die door de Serven uit hun huizen waren verdreven, geholpen door de Rode Kruisbeweging.

Bewustzijn van de grenzen aan oorlog

De Rode Kruisbeweging bevordert de naleving van humanitaire principes en wetten door bekendheid te geven aan de Verdragen van Genève (zie pagina 6). Zowel het ICRC als de nationale verenigingen publiceren boeken en folders over de verdragen. Afgevaardigden van het Rode Kruis lichten de gewapende strijdkrachten, het publiek en kinderen voor over het humanitair recht. In burgeroorlogen probeert het ICRC beide partijen in het conflict te informeren over het humanitair recht en wat dit voor hen betekent.

▲ Medewerkers van het Rode Kruis bevinden zich midden in de gevechten tussen de troepen van de regering en die van de rebellen in Colombia in 2000.

Spotlight

Het recht leren kennen

Sommige nationale Rode Kruisverenigingen, waaronder de Belgische en Russische, organiseren 'oefenrechtszaken'. Rechtstudenten kunnen dan rechtszaken voor oorlogsmisdaden oefenen, met acteurs die de beklaagden spelen en deskundigen die advies geven. Zo komen studenten meer te weten over het humanitair recht en de problemen waar advocaten mee te maken hebben wanneer ze proberen te bewijzen dat een persoon de wet heeft overtreden of wanneer ze zo'n persoon moeten verdedigen.

Nieuwe technologie

Door aan de Verdragen van Genève bekendheid te geven, herinnert het ICRC mensen eraan dat ze een eigen verantwoordelijkheid hebben in de keuze van de wapens die ze gebruiken. Tegenwoordig heeft de technologische vooruitgang tot gevolg dat er steeds verschrikkelijkere wapens uitgevonden kunnen worden. In 1998 waarschuwde dr. Cornelio Sommaruga, voorzitter van het ICRC, voor deze ontwikkeling: 'Het internationaal humanitair recht heeft als essentiële taak om de mensheid de ergste gevolgen van zijn technische mogelijkheden te besparen.'

✔ Checklist

Internationale humanitaire wetten verbieden het gebruik van bepaalde wapens omdat ze onmenselijk zijn. Hiertoe behoren:

- Kogels die uiteenspatten wanneer ze een persoon treffen
- Chemische wapens – bijv. bommen die gifgas afgeven
- Biologische wapens – bijv. bommen die dodelijke ziektekiemen afgeven
- Landmijnen die tegen personen zijn gericht – apparaten die in de grond worden ingegraven en ontploffen wanneer iemand erop trapt
- Laserwapens die zijn ontworpen om blijvende blindheid te veroorzaken

◗ Probleem

Landmijnen

Er is een verdrag dat tegen personen gerichte landmijnen verbiedt, maar sommige landen hebben het verdrag nog niet ondertekend en veel legers gebruiken ze nog. De mijnen worden in de grond ingegraven en zijn jaren na het einde van de oorlog nog werkzaam. Wereldwijd worden per uur drie mensen gedood of verminkt door een mijn.

▼ Een Iraans kind ligt in een ziekenhuis, een slachtoffer van een chemische aanval door Irak tijdens de oorlog tussen Iran en Irak in 1988. De chemische stoffen hebben zijn huid verbrand en ernstige blaren veroorzaakt.

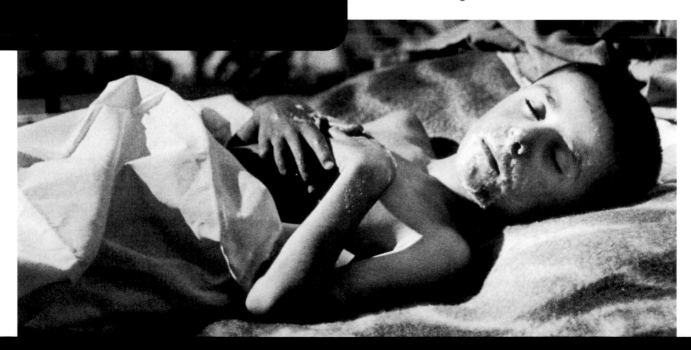

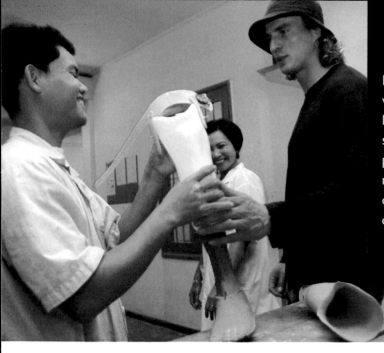

Spotlight

Het ICRC heeft over de hele wereld meer dan 30 werkplaatsen opgericht om de kunstledematen, krukken en rolstoelen te produceren die de slachtoffers van landmijnen nodig hebben. Ze proberen goedkope, gemakkelijk verkrijgbare materialen te gebruiken en mensen uit de buurt op te leiden, zodat de werkplaatsen uiteindelijk onafhankelijk kunnen werken.

◀ *Voetballer David Ginola bezoekt een werkplaats voor kunstledematen in Cambodja, waar veel mensen zijn verminkt door landmijnen.*

Probleem

Nieuwe wapens

Na de oorlog in Kosovo in 1999 moesten mensen niet alleen oppassen voor de mijnen die door de Servische strijdkrachten waren gelegd, maar ook voor niet-ontplofte splinterbommen die de NAVO-strijdkrachten hadden geworpen. De NAVO had gevochten om de Albanezen in Kosovo tegen de Serviërs te beschermen. Splinterbommen zijn niet verboden omdat ze bij het neerkomen moeten ontploffen, maar een klein percentage doet dit niet.

Een splinterbom lijkt op een frisdrankblikje met een parachute eraan en kan aangezien worden voor speelgoed. Sommige kinderen in Kosovo zijn door splinterbommen gedood. Het ICRC heeft zes mensen opgeleid om de mensen in Kosovo voor te lichten over de gevaren van mijnen – ze moesten ook splinterbommen in hun lessen behandelen.

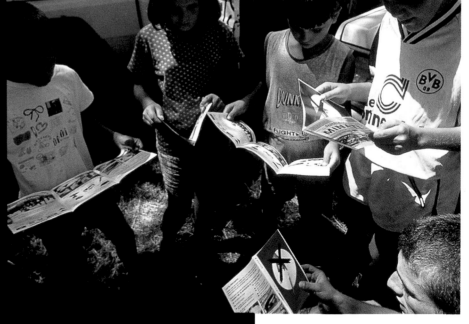

▲ *Kinderen in Kosovo lezen door het ICRC uitgedeelde folders waarin ze gewaarschuwd worden voor de gevaren van mijnen en niet-ontplofte bommen die zijn overgebleven na de oorlog van 1999.*

De Rode Kruisbeweging helpt al bijna
120 jaar slachtoffers van rampen in
vredestijd. De nationale verenigingen
zorgen in eerste instantie voor hulp, maar
bij een grote ramp coördineert de
Internationale Federatie van Rode Kruis- en
Rode Halvemaanverenigingen de hulp
vanuit de hele wereld.

▲ Het Duitse Rode Kruis stuurt
vrachtauto's die volgepakt zijn met
goederen naar Honduras, dat in 1998
door een orkaan werd getroffen.

▶ Overstromingen vormen een
groot probleem voor
Bangladesh. Dit is de hoofdstad
Dhaka in 1998 (zie pagina 23).

Natuurrampen

Natuurrampen worden vaak veroorzaakt door
ongebruikelijke weersomstandigheden of plotselinge
veranderingen in het aardoppervlak. Zware regens
kunnen overstromingen of landverschuivingen
veroorzaken. Door aardbevingen op zee kunnen enorme
vloedgolven ontstaan die kustdorpen overspoelen.

De Internationale Federatie verleent hulp waar de nood
het hoogst is. Dit betekent dat een groot deel van de
hulp wordt gegeven aan armere ontwikkelingslanden die
minder goed zijn voorbereid op noodsituaties.

Noodhulp

Bij elke ramp is de eerste taak van het Rode Kruis het verlenen van hulp waar de nood het hoogst is. Het Rode Kruis werkt samen met hulpdiensten bij het redden van mensen die door de ramp zijn getroffen en het behandelen van zwaargewonden. De nationale verenigingen verlenen bijvoorbeeld eerste hulp en verspreiden hulpgoederen.

Een medewerker van het Rode Kruis helpt bij de ▲ redding van een jongen die vastzit in het puin na een aardbeving in Colombia in 1999.

Vervuild water veroorzaakt epidemieën van cholera en diarree, en deze ziekten doden vaak meer mensen dan de ramp zelf. Het Rode Kruis voorziet de slachtoffers van voorraden schoon drinkwater of van waterzuiveringstabletten. Het zorgt ervoor dat veilige, permanente watervoorzieningen zo snel mogelijk worden hersteld.

▲ *Een tijdelijk tentenkamp van de Rode Halvemaan dat in Turkije is opgezet voor mensen die door de aardbeving in 1999 dakloos zijn geworden.*

Voedsel en onderdak

Het Rode Kruis geeft ook voedsel en onderdak aan mensen die dakloos zijn geworden. Het richt slaapplaatsen in in grote gebouwen zoals kerken en stadhuizen of zet tijdelijke tentenkampen op. Wanneer de crisis voorbij is, helpen medewerkers van het Rode Kruis mensen bij het terugkeren naar huis. Zo nodig delen ze gereedschap en bouwmaterialen uit zodat mensen hun huizen kunnen repareren of herbouwen. In landbouwgebieden verstrekken ze zaden en landbouwwerktuigen zodat niéuwe gewassen gezaaid kunnen worden.

◖ Probleem

Voorbereiden op rampen

Het Rode Kruis probeert de gevolgen van rampen zo veel mogelijk te beperken. Het zorgt voor waarschuwings- en reddingssystemen die gemeenschappen zonder hulp van buiten kunnen laten werken. Tijdens de overstromingen in Mozambique in 2000 stuurden sommige landen helikopters om mensen die in bomen en op daken zaten in veiligheid te brengen. Maar Mozambique kan zich geen permanent reddingssysteem dat gebaseerd is op helikopters veroorloven. Het is eenvoudiger en goedkoper om kleine boten te verstrekken die opgeslagen kunnen worden in risicogebieden, zodat de mensen elkaar kunnen redden bij een overstroming.

▶ Het Mozambikaanse Rode Kruis zet tijdens de overstroming in maart 2000 boten in om hulp te verspreiden en mensen die door het water waren ingesloten te redden.

Hulp bij rampen coördineren

Bij de overstromingen in Mozambique in februari 2000 raakten meer dan 540.000 mensen hun huis kwijt. De hulp kwam snel op gang: regeringen stuurden helikopters en vliegtuigen, en duizenden hulporganisaties stuurden teams om te helpen. 'Het was een gekkenhuis,' zei een hulpverlener. De Mozambikaanse regering had in het begin moeite met het coördineren van de hulp. Sommige dingen werden twee keer gedaan en hulp werd verleend waar het niet nodig was. Op advies van het Mozambikaanse Rode Kruis begon de regering met het houden van dagelijkse informatiebijeenkomsten voor zowel de pers als de hulporganisaties, en zorgde ze ervoor dat de hulporganisaties alleen werkten met haar medeweten en toestemming.

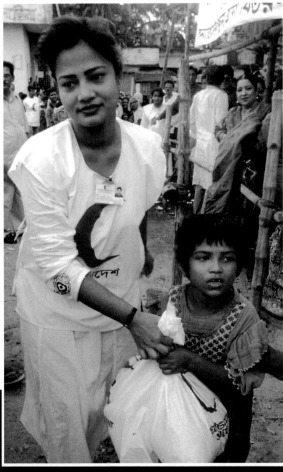

▶ Een vrijwilligster van de Rode Halvemaan helpt een meisje dat haar huis is kwijtgeraakt tijdens de overstroming in Bangladesh in 1998.

● Spotlight

Voorbereiden op overstromingen

In 1991 hebben de overstromingen in Bangladesh 140.000 mensen gedood. In 1998 waren de overstromingen erger, maar er kwamen minder dan 1.000 mensen om. Vele levens werden toen gered doordat er met hulp van de Internationale Federatie een stormwaarschuwingssysteem was ingesteld. Wanneer een storm of cycloon op komst is, trekken duizenden vrijwilligers van het Bengalese Rode Kruis met megafoons langs de kust op en neer om mensen te vertellen dat ze naar hogere gebieden moeten gaan. De Rode Kruisbeweging heeft ook geholpen bij het bouwen van schuilplaatsen en kunstmatige heuvels, waar mensen kunnen wachten tot de storm voorbij is.

Probleem

Armoede

Veel rampen worden veroorzaakt door mensen en kunnen vermeden worden. In juli 2000 kwamen meer dan 150 mensen die op een vuilstortplaats in Manila woonden om toen een hoge afvalberg tijdens een zware regenbui instortte en hun hutten onder het afval werden bedolven. De slachtoffers behoorden tot de armsten van de Filippijnen: mensen die in de afvalhopen zochten naar voorwerpen om op straat te verkopen. Het Rode Kruis helpt altijd bij dit soort rampen, maar probeert ook de levensomstandigheden van mensen te verbeteren.

◀ Lessen in aids-bewustzijn die het Gambiaanse Rode Kruis geeft aan een groep dorpsbewoners.

Stille rampen

Mensen geven gul als het Rode Kruis een oproep doet voor slachtoffers van aardbevingen, overstromingen en orkanen. Dit zijn grote, indrukwekkende rampen die iedereen op de televisie ziet. Maar het Rode Kruis heeft ook geld nodig voor 'stille rampen'. Dit zijn langdurige problemen zoals armoede en ziekte, en voor de bestrijding hiervan geven mensen niet zo veel geld.

In delen van Afrika is de ziekte aids een 'stille ramp'. Geleidelijk doodt aids miljoenen mensen. De ziekte verwoest gezinnen en tast nationale economieën aan. Het Rode Kruis leidt mensen uit de buurt op om voorlichting te geven over aids. Het financiert ziekenhuizen om aidspatiënten te verzorgen en richt weeshuizen en scholen op om kinderen van wie de ouders zijn gestorven te beschermen.

Spotlight

Je vrienden voorlichten

De Internationale Federatie stimuleert de nationale verenigingen om jonge vrijwilligers op te leiden in aids-voorlichting. Jonge mensen zullen eerder naar mensen van hun eigen leeftijd luisteren dan naar oudere deskundigen. De Federatie steunt de verenigingen door een opleidingshandboek voor jonge mensen uit te geven dat *Actie met Jongeren* heet.

Zorg voor de gemeenschap

Veel mensen kennen het Rode Kruis via het werk van de nationale verenigingen in hun plaatselijke afdeling. De nationale verenigingen geven langdurige en kortdurende hulp aan mensen die dat nodig hebben.

▲ *Sommige nationale verenigingen zorgen voor het vervoer van mensen die niet zelf kunnen reizen.*

✓ Checklist

De plaatselijke afdelingen van het Nederlandse Rode Kruis bieden onder andere de volgende diensten:

- Vriendschappelijk huisbezoek, waarbij een vrijwilliger langskomt, eventueel een kaartje legt of een boodschap doet.
- Vrijwilligers zorgen voor momenten van ontspanning door het organiseren van bijeenkomsten en uitstapjes.
- Telefooncirkels, waarbij deelnemers op een gezet moment van de dag worden gebeld door een vrijwilliger of een andere deelnemer. Voor de veiligheid en voor het contact.
- Sociaal vervoer. Het Rode Kruis verzorgt vervoer voor mensen die slecht ter been zijn.
- Aangepaste vakanties.
- Hulp bij mantelzorg, zodat mensen die langdurig zieke verwanten verzorgen ook eens een middagje wegkunnen.

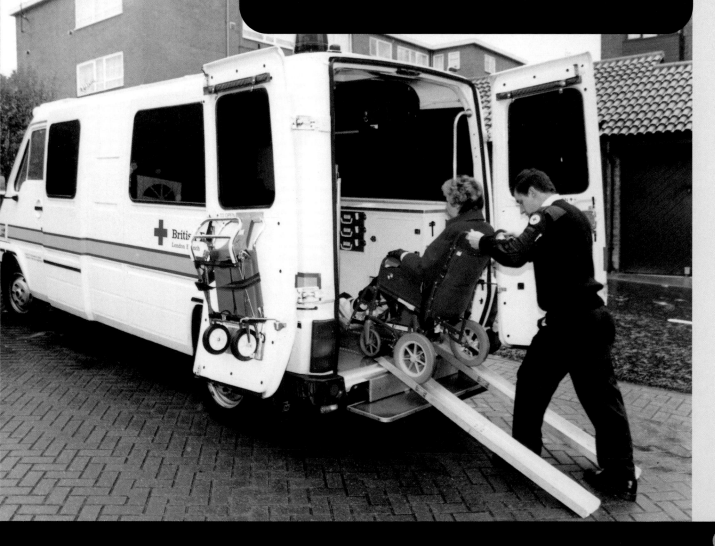

Eerste hulp

Een ongeluk kan iedereen overal overkomen – in huis, op het werk of in een auto. EHBO (eerste hulp bij ongelukken) is de directe medische hulp die aan slachtoffers van ongelukken wordt gegeven, voordat er een arts of ambulance is. Deze hulp omvat het stelpen van hevige bloedingen, het reanimeren van iemand die niet meer ademhaalt of het koelen van brandwonden. Snelle eerste hulp kan bepalen of een slachtoffer blijft leven of sterft.

Probleem

Een beschermend symbool

Het symbool van het rode kruis wordt zo vaak in verband gebracht met eerste hulp en medische zorg dat mensen die niet betrokken zijn bij militaire medische diensten of de Rode Kruisbeweging het ook gebruiken. Dit is in bijna alle landen in strijd met de wet. De Verdragen van Genève erkennen het rode kruis als een speciaal symbool dat in oorlogstijd bescherming biedt aan gewonden en zieken en degenen die officiële toestemming hebben om hen te helpen. Er moet worden voorkomen dat het respect ervoor afneemt door onrechtmatig gebruik. De Rode Kruisverenigingen proberen samen met hun regeringen het illegale gebruik van het symbool tegen te gaan. Voor het embleem van de rode halvemaan geldt hetzelfde.

HULPORGANISATIES (BEHALVE HET RODE KRUIS)

EHBO-DOOS

▲ Het symbool van het rode kruis wordt vaak misbruikt. Een wit kruis op een groene achtergrond is een erkend symbool voor eerste hulp.

Vrijwilligers van de nationale Rode Kruis- en Rode Halvemaanverenigingen zorgen voor eerste hulp bij grote evenementen. Ze geven ook les in EHBO aan iedereen die dit wil leren, onder wie kinderen van vijf jaar. Het Rode Kruis verkoopt EHBO-cursussen en -dozen aan bedrijven, scholen en sportclubs. De opbrengst van deze verkoop wordt gebruikt om andere activiteiten van het Rode Kruis te betalen. Sommige verenigingen geven gratis EHBO-lessen aan kinderen.

◀ Een vrouw leert hoe ze een wond moet verbinden tijdens een EHBO-cursus die door het Rode Kruis in Gambia wordt gegeven.

Bloedbanken

In veel landen beheert de nationale Rode Kruis- of Rode Halvemaanvereniging bloedbanken, waar mensen bloed kunnen geven. Het Rode Kruis moedigt gezonde mensen aan om bloed te geven om anderen te helpen. Het bloed wordt van een etiket voorzien en opgeslagen door ziekenhuizen zodat het gebruikt kan worden voor patiënten die tijdens een operatie extra bloed nodig hebben of voor slachtoffers van auto-ongelukken of andere ongelukken die veel bloed hebben verloren.

Hulpbehoevenden

Over de hele wereld zijn Rode Kruis- en Rode Halvemaanverenigingen actief waar mensen hulp nodig hebben. Sommige geven bijvoorbeeld kleren en hulpgoederen aan gezinnen waarvan de huizen zijn afgebrand. Huisbezoeken kunnen essentieel zijn voor bejaarde of zieke mensen. Sommige verenigingen beschikken over verpleegkundigen die regelmatig op huisbezoek gaan. Andere helpen wanneer

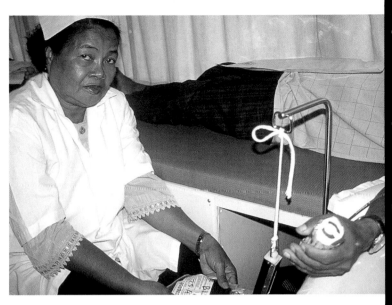

▲ Een bloedbank die door het Cambodjaanse Rode Kruis wordt beheerd.

iemand die voor een ziek of bejaard familielid zorgt zelf naar het ziekenhuis moet. Een vrijwilliger van het Rode Kruis zorgt dan tijdelijk voor dit familielid. Een andere dienst die het Rode Kruis aanbiedt is het vervoeren van patiënten van en naar het ziekenhuis als ze niet in staat zijn om zelf te gaan.

● Spotlight

Medisch onderzoek

Door de medische zorg van het Rode Kruis, zowel in de oorlog als in vredestijd, zijn sommige verenigingen betrokken geraakt bij het medisch onderzoek. In 1998 hebben het Amerikaanse Rode Kruis en het Amerikaanse leger een verband ontwikkeld met een speciaal bloedstollend middel dat het bloeden snel stopt. Dit onderzoek is niet alleen nuttig voor het werk in oorlogsgebieden. Dezelfde verbanden kunnen levens redden bij noodgevallen in vredestijd, zoals auto-ongelukken en aardbevingen.

◀ Een vrijwilliger van het Rode Kruis in Bosnië helpt een bejaarde man in zijn huis.

Probleem

Zorg in oorlogstijd

De Rode Kruisvereniging van Sierra Leone is verantwoordelijk voor gezondheidscentra, bloedbanken en voorlichtingsprojecten in plaatselijke gemeenschappen over gezondheidszorg en -risico's. Begin jaren 90 brak in dit land een burgeroorlog uit. De vereniging probeerde de dagelijkse dienstverlening in stand te houden en tegelijkertijd de gewonden en ontheemden te helpen. Sommige plaatselijke kantoren werden geplunderd en, nog erger, sommige vrijwilligers werden gedood. Zodra de vrede in het land was hersteld, begon de vereniging de dienstverlening in de gemeenschappen weer op te bouwen.

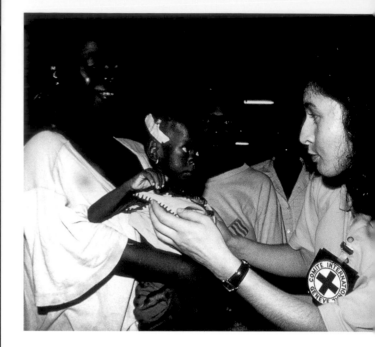

▲ In Sierra Leone, waar de burgeroorlog de gewone gezondheidszorg heeft aangetast, geeft het ICRC ondersteuning aan ziekenhuizen voor burgers.

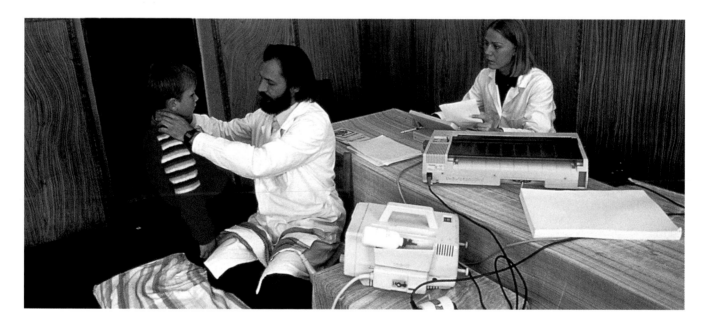

▲ In Wit-Rusland onderzoekt een arts van de Internationale Federatie van Rode Kruis- en Rode Halvemaanverenigingen bij een jongen of zijn schildklier goed werkt.

Anderen helpen

De dienstverlening van het Rode Kruis verbetert het leven van mensen die ziek, bejaard of gewoon alleen zijn. De nationale verenigingen kunnen deze diensten aanbieden dankzij hun vrijwilligers – mensen die een deel van hun tijd geven om hulpbehoevenden te helpen. De beginselen die als leidraad dienen voor het Rode Kruis in oorlogstijd en bij rampen zijn net zo belangrijk op plaatselijk niveau.

▲ *Twee vrijwilligers van het Franse Rode Kruis bieden hulp aan een dakloze die in Parijs onder een brug slaapt.*

▼ *Jonge vrijwilligers in Arizona (VS) leren hoe ze op een baby moeten passen. De cursisten leren van medewerkers van het Amerikaanse Rode Kruis hoe ze baby's tegen ongelukken en verwondingen kunnen beschermen.*

⬤ Spotlight

Het Jaar van de Vrijwilliger

Op 5 december 2000 werd het Internationale Jaar van de Vrijwilliger door de Verenigde Naties ingeluid uit dank voor het werk van vrijwilligers over de hele wereld en om het vrijwilligerswerk te steunen. Tijdens de openingsplechtigheid zei dr. Astrid Heidberg, voorzitter van de Internationale Federatie van Rode Kruis- en Rode Halvemaanverenigingen: 'Iedereen wil iets kunnen betekenen… Vandaag gaat een jaar van start ter ere en ter aanmoediging van de honderden miljoenen onzelfzuchtige vrouwen en mannen, jong en oud, die hun tijd en energie geven om iets te betekenen voor het leven van anderen.'

✓ Checklist

Rode Kruis Jongeren

Iedereen kan vrijwilliger voor het Rode Kruis of de Rode Halvemaan worden. Verenigingen over de hele wereld moedigen vooral jonge mensen aan om zich aan te sluiten. Hieronder staan enkele activiteiten van de Rode Kruis Jongeren in Nederland:

* Eerste hulp verlenen bij onder andere festivals, popconcerten en andere evenementen
* Op vakantie met gehandicapte en chronisch zieke leeftijdsgenoten
* Jonge asielzoekers en vluchtelingen helpen
* Vermisten helpen opsporen met behulp van het Rode Kruisnetwerk

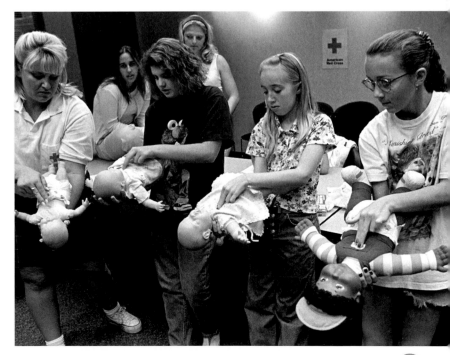

aids — Acquired immune deficiency syndrome, een ziekte die mensen verzwakt en doodt door de afweer van hun lichaam tegen gewone ziekten aan te tasten.

asiel — Bescherming die verleend wordt aan mensen die in hun eigen land vervolgd worden.

burgeroorlog — Een oorlog tussen mensen die in hetzelfde land wonen of dezelfde nationaliteit hebben.

criteria — Voorwaarden of regels die mensen moeten accepteren als ze zich bij een bepaalde groep of vereniging aan willen sluiten.

cycloon — Een wervelstorm; een storm met krachtige wervelende winden die zware regens met zich meebrengen.

diarree — Een ernstige darmstoornis die water aan iemands lichaam onttrekt; diarree kan dodelijk zijn voor baby's en jonge kinderen.

humanitair — Heeft te maken met het geluk, de veiligheid en het welzijn van mensen.

logistiek — Alle handelingen die nodig zijn om ervoor te zorgen dat hulp terechtkomt bij de mensen die het nodig hebben, zoals het verzorgen van vervoer en communicatie.

martelen — Het moedwillig veroorzaken van intense pijn om iemand te straffen of om iemand een geheim te ontfutselen.

neutraliteit — Het niet kiezen van één kant in een debat of conflict.

onpartijdigheid — Het op dezelfde manier behandelen van alle mensen ongeacht hun ras, nationaliteit of religie.

oorlogsmisdaad — Een in oorlogstijd gepleegde misdaad die in strijd is met de geaccepteerde gedragscodes in oorlogen, zoals de Verdragen van Genève.

verdrag — Een overeenkomst over een belangrijk onderwerp die door verschillende landen wordt ondertekend.

Nuttige adressen

Internationale Comité van het Rode Kruis (ICRC)
Informatiecentrum
19 avenue de la Paix
CH 1202 Genève
Zwitserland
www.icrc.org

Internationale Federatie van Rode Kruis- en Rode Halvemaanverenigingen
Postbus 372
CH 1211 Genève 19
Zwitserland
www.ifrc.org

Adressen en websites van de nationale verenigingen kun je vinden via:
www.ifrc.org/address

Adressen van enkele nationale verenigingen:

Nederlandse Rode Kruis
Postbus 28120
2502 KC Den Haag
www.rodekruis.nl

Belgische Rode Kruis
Ch. de Vleurgat 98
1050 Brussel
www.redcross.be

Voor informatie over andere humanitaire hulporganisaties:
www.relief.int

UNICEF (United Nations Children's Fund)
www.unicef.org

Wereldgezondheidsorganisatie (WHO)
www.who.int

Register

aardbevingen 10, 12, 20, 21, 22, 24, 27
aids 24, 30
Amerikaanse Rode Kruis 8, 10, 13, 27, 29
Armenië 12
armoede 24
Australische Rode Kruis 13

Bangladesh 20, 23
België 6, 17
Bengalese Rode Kruis 23
bloeddonatie 10, 27, 28
Bosnië 17, 27
Britse Rode Kruis 8, 10, 14, 25
burgeroorlog 5, 15, 16, 17, 28, 30

Cambodja 19
Cambodjaanse Rode Kruis 27
Colombia 17, 21
cycloon 23, 30

daklozen 8, 10, 15, 22, 29
Deense Rode Kruis 8, 29
Denemarken 6, 29
diarree 21, 30
dienstverlening in gemeenschappen 25-28
Duitse Rode Kruis 8, 20
Dunant, Henry 4, 5, 12, 13

eerste hulp 10, 21, 25, 26, 29
El Salvador 5
Engeland 11
Ethiopië 12
Europese Unie 11

Fijische Rode Kruis 7
Filippijnen 24
Franse Rode Kruis 29

Gambiaanse Rode Kruis 24, 26
Genève, Verdragen van 6, 8, 9, 11, 14, 17, 18, 26
gijzeling 7

Honduras 20
humanitair recht 6, 9, 16, 17, 18
hutten 24, 30

ICRC 5, 6, 7, 9, 11, 13, 14, 15, 16, 17, 18, 19, 28, 31
Internationale Federatie van Rode Kruis- en Rode Halvemaanverenigingen 9, 10, 11, 20, 21, 23, 24, 28, 29, 31
Iraanse Rode Halvemaan 9

Japanse Rode Kruis 9

krijgsgevangenen 6, 9, 14

landmijnen 18, 19

medisch onderzoek 27
mensenrechten 16
Mozambikaanse Rode Kruis 22, 23

natuurrampen 20-23
NAVO 19
neutraliteit 5, 7, 11, 13, 14, 16, 30
Nieuw-Guinea 13
noodsituaties 8, 9, 10, 15, 20, 21, 26, 27

onpartijdigheid 5, 7, 11, 30
oorlog 4, 5, 6, 7, 8, 12, 13, 14, 15, 16, 17, 18, 19, 25, 26, 27, 28, 30
    Eerste Wereldoorlog 13
    Golfoorlog 13
    tussen Iran en Irak 18
    Koreaanse Oorlog 14, 16
    in Kosovo 17, 19
    Tweede Wereldoorlog 13
oorlogsmisdaden 6, 17, 30
orkaan 20, 24
overstromingen 8, 20, 22, 23, 24

Portugal 6

rampen 4, 8, 10, 12, 20, 21, 22, 23, 24, 28
regering 6, 7, 11, 14, 15, 16, 17, 22, 26
Rode Kruis en Rode Halvemaan beweging, de 4, 5, 7, 9, 10, 11, 12, 15, 17, 20, 21, 23, 26, 28
    financiering van 11, 12
    grondbeginselen van 11
    jongeren 29
    nationale verenigingen 8, 9, 10, 11, 12, 13, 15, 17, 20, 21, 24, 25, 26, 27, 28, 29, 31
    oprichting van 4-8
    symbool van 7, 26
    vlag 5, 7
Rusland 8, 13, 17
Rwanda 15, 16

Servië 17, 19
Sierra-Leoonse Rode Kruis 28
soldaat 4, 5, 6, 13, 14
Solferino, slag van 4, 5

Tsjetsjenië 6, 13
Turkije 7, 10, 22
Turkse Rode Halvemaan 7

Unicef 30, 31

Verenigde Naties 29, 31
vluchtelingen 11, 15, 16, 17
vrijwilliger 4, 5, 7, 10, 12, 23, 24, 26, 27, 28, 29
Verenigde Staten 8, 29

wapens 13, 18, 19
Wereldgezondheidsorganisatie WHO 21, 31
Wereldrampenrapport 21
Wit-Rusland 28

Zwitserland 7